VORTRÄGE UND AUFSÄTZE
herausgegeben vom
Verein für Hamburgische Geschichte

Heft 25

ISBN 3-7672-1000-2

Günter Marwedel

Geschichte der Juden in Hamburg, Altona und Wandsbek

Hamburg 1982
Hans Christians Verlag

Herausgegeben in Zusammenarbeit
mit dem Institut für die
Geschichte der deutschen Juden

Vorbemerkung

Der nachstehend abgedruckte Text wurde, um einiges gekürzt, am 28. Oktober 1981 im Verein für Hamburgische Geschichte vorgetragen. Die Kürzungen waren erforderlich, um die vorgegebene Redezeit nicht zu überschreiten. Sie sind hier rückgängig gemacht. Außerdem wurden Quellennachweise und einige Parenthesen, anders als im ursprünglichen Manuskript, in Anmerkungen untergebracht und an einigen Stellen das Gemeinte deutlicher und unmißverständlicher herausgearbeitet. Im übrigen blieb der Text unverändert. Er beruht zur Hauptsache auf der im Anhang zusammengestellten Literatur zum Thema, hier und da auch auf den Ergebnissen eigener Arbeit. Auf Einzelnachweise wurde, außer bei wörtlichem Zitat, verzichtet. Wo die Darstellung von der Literatur abweicht, handelt es sich um stillschweigende Korrekturen, welche durch die aus der Arbeit am Institut für die Geschichte der deutschen Juden erwachsene Quellenkenntnis veranlaßt sind.

Es gibt keine voraussetzungslose Wissenschaft; und die Geschichtswissenschaft arbeitet so wenig wie irgendeine andere Wissenschaft in der gleichsam keimfreien Luft eines Elfenbeinturms. Ihre Arbeit vollzieht sich in einer bestimmten historischen und gesellschaftlichen Situation und ist durch sie in mannigfacher Weise bedingt. Das gilt selbstverständlich auch für die Erforschung der Geschichte der Juden in Hamburg (wie in Deutschland überhaupt). Es scheint mir daher nicht nur legitim, sondern notwendig zu sein, einleitend kurz auf die Frage einzugehen, was in der gegenwärtigen historischen und gesellschaftlichen Situation die Beschäftigung mit der Geschichte der Juden in Hamburg nahelegt oder gar unabweisbar macht. Ich sehe zwei Triebfedern dieses Interesses. Die eine möchte ich etwas behelfsmäßig die »vaterstädtische« nennen: Die Geschichte der Juden in Hamburg ist ein Teil der Stadtgeschichte, das Interesse an der Stadtgeschichte schließt also das Interesse an der Geschichte der Hamburger Juden ein. Sofern dieses Interesse freilich von dem Bedürfnis bestimmt ist, die Liebe zur Vaterstadt sozusagen geschichtlich zu legitimieren, steht es ganz allgemein vor dem Dilemma, daß die Hansestadt so freiheitlich und liberal, wie sie sich heute gibt, in der Vergangenheit keineswegs immer gewesen ist; und was insbesondere die Hamburger Juden betrifft, ist es auch nicht möglich, diesem Dilemma dadurch auszuweichen, daß man die weniger erfreuliche Vergangenheit als kontrastierenden Hintergrund benutzt, vor dem sich das endlich Erreichte nur um so heller abhebt. Denn das vaterstädtische Interesse an der Geschichte der Juden in Hamburg kommt ja nicht an der Tatsache vorbei, daß diese Geschichte – wie die Geschichte der Juden in

Deutschland überhaupt – in den Schrecken des Holocaust endete. Angesichts dieser Tatsache drängt sich die oft gestellte Frage auf: Wie konnte das geschehen? Und genau mit dieser Frage ist zugleich die zweite Triebfeder des Interesses an der deutsch-jüdischen Geschichte – in Hamburg und darüber hinaus – angedeutet. Denn das zukunftgerichtete dringende Interesse daran, daß sich dergleichen nicht wiederholt, nimmt ja, rückwärtsgewandt, die Form der eben zitierten Frage an: Wie konnte es dazu kommen?
In diesem Zusammenhang ist es allerdings nötig, einige Mißverständnisse abzuwehren. So gewiß nämlich die Geschichtswissenschaft sich dieser Frage nicht entziehen darf, sie wäre überfordert, wollte man von ihr eine zulängliche Antwort erwarten, die allenfalls in enger Zusammenarbeit von Historikern, Soziologen, Sozialpsychologen und Antropologen gefunden werden kann. Dazu kommt noch ein weiteres: Die Aufhellung der Vergangenheit kann bestenfalls Hinweise darauf geben, wo und wie präventive Aktionen sinnvoller Weise ansetzen könnten. Die Prävention selbst aber muß von der Gesamtgesellschaft geleistet werden. Das ist ein langwieriger und mühsamer emanzipatorischer Prozeß, in dem Geschichtswissen und seine Verbreitung eine wichtige, aber keineswegs die ausschlaggebende Rolle spielt: Information kann das Defizit an Toleranz, das für unsere Gesellschaft charakteristisch ist, nicht kompensieren oder gar beseitigen. Und schließlich: Die Frage nach den Bedingungen der Möglichkeit des Holocaust taugt schlecht zur alleinigen Leitfrage bei der Erforschung der deutsch-jüdischen Geschichte, weil sie den Blick allzusehr einengt und es dadurch schwer oder gar unmöglich macht, der Komplexität dieser Geschichte

gerecht zu werden. Die vornehmste Aufgabe der Geschichtswissenschaft bleibt vielmehr – gerade auch im Kontext der sogenannten »Vergangenheitsbewältigung« und damit zusammenhängender emanzipatorischer Bemühungen – die geduldige Sammlung des Materials und die sorgfältige Beschreibung der Fülle und Komplexität vergangener Zustände und Ereignisse, wie sie sich in den Quellen darstellen. Dazu gehören grundsätzlich alle Bereiche und Schichten der Gesellschaft, die großen Namen ebenso wie das Heer der Namenlosen, die Reichen ebenso wie die Armen, die Leistungen ebenso wie die Defizite, Politik und Wirtschaft ebenso wie Religion und Kultur und nicht zuletzt das Alltagsleben.
Wie weit es im einzelnen möglich ist, diese Komplexität aufzuhellen, hängt freilich von den Rahmenbedingungen der Forschung ab, wie sie mit der Quellenlage und dem Forschungsstand, aber auch mit der finanziell und personell definierten Forschungskapazität gegeben sind. Im Falle dieses Vortrages kommt als einschränkende Rahmenbedingung noch die Kürze der zur Verfügung stehenden Redezeit hinzu. Denn die Fülle und Komplexität eines Ausschnitts der Stadtgeschichte, der sich über mehr als drei Jahrhunderte erstreckt, in einer Stunde angemessen darzustellen, ist unmöglich. Ich muß mich daher mit dem Versuch begnügen, etwas von der Komplexität der jüdischen Geschichte in Hamburg, Altona und Wandsbek deutlich zu machen, und mich im übrigen auf ausgewählte Haupttatsachen und Grundzüge dieser Geschichte beschränken.
Ich werde deshalb auch nur von der Geschichte der Juden in den alten, engeren Grenzen der Städte Hamburg und Altona und des erst spät zur Stadt geworde-

nen Gutes Wandsbek berichten und die übrigen heute zur Freien und Hansestadt gehörenden Gebietsteile – also zum Beispiel Bergedorf, Harburg und die Elbvororte – nicht berücksichtigen. Auch auf die – relativ kleine – Gruppe der Juden, die sich taufen ließen, werde ich nicht eingehen, obwohl sie strenggenommen in die jüdische Geschichte ebenso hineingehört wie in die Geschichte des christlichen Bevölkerungsteils.

Juden gab es in Hamburg und wahrscheinlich auch in Altona seit dem Ende des 16. Jahrhunderts. Bevor ich jedoch näher auf die Anfänge jüdischer Ansiedlung in beiden Städten und in Wandsbek eingehe, möchte ich Sie anhand eines Quellenzeugnisses aus dem 17. Jahrhundert mit einigen Grundtatsachen bekanntmachen, die das Leben der Juden im ersten Jahrhundert ihres Hierseins und teilweise weit darüber hinaus bestimmten. Dieses Zeugnis findet sich in den jiddisch geschriebenen Erinnerungen einer Hamburger jüdischen Kauffrau, nämlich in den berühmten Memoiren der Glückel von Hameln, über die Sie vielleicht in der inzwischen auch als STERN-Buch erschienenen STERN-Serie »Juden in Deutschland« von Leo Sievers gelesen haben. Ich zitiere die Stelle in der von mir leicht geänderten Übersetzung von Alfred Feilchenfeld, dessen leider stark gekürzte deutsche Ausgabe der Memoiren erst kürzlich noch zweimal nachgedruckt wurde. Es heißt dort:
»Als ich noch keine drei Jahre alt war, wurden alle Juden von Hamburg ausgetrieben und mußten nach Altona ziehen, das dem König von Dänemark gehört, von dem die Juden gute Privilegien haben. Dieses Altona ist kaum eine Viertelstunde von Hamburg ent-

fernt. In Altona waren damals (d. h. 1649) schon ungefähr 25 jüdische Haushaltungen; dort hatten wir auch unsre Synagoge und unsern Friedhof. So haben wir eine Zeitlang in Altona gewohnt und endlich in Hamburg durch große Bemühung erreicht, daß man den Juden in Altona Pässe gegeben hat, so daß sie in die Stadt (d. h. nach Hamburg) gehen und dort Geschäfte treiben durften. Ein jeder Paß hat für vier Wochen gegolten; man hat ihn von dem regierenden Oberhaupt des Rates in Hamburg bekommen; er hat einen Dukaten gekostet, und wenn der Paß abgelaufen war, hat man wieder einen neuen nehmen müssen. Aber aus den vier Wochen sind oft acht Wochen geworden, wenn Leute Bekanntschaft mit dem Bürgermeister oder mit Beamten hatten. Die Leute hatten es leider Gottes sehr schwer, denn sie haben ihr ganzes Geschäft in der Stadt suchen müssen, und so haben manche arme und bedürftige Leute oft gewagt, sich ohne Paß in die Stadt hineinzuschleichen. Wenn sie dann von Beamten ertappt wurden, hat man sie ins Gefängnis gesteckt; das hat alles viel Geld gekostet und man hat Not gehabt, sie wieder frei zu bekommen. Des Morgens in aller Frühe, sobald sie aus dem Bethaus gekommen sind, sind sie in die Stadt gegangen und gegen Abend, wenn man das Tor hat zumachen wollen, sind sie wieder nach Altona zurückgekehrt. Wenn die armen Menschen herausgegangen sind, sind sie oft ihres Lebens nicht sicher gewesen wegen des Judenhasses, der bei Bootsleuten, Soldaten und anderm geringen Volk herrschte, so daß eine jede Frau Gott gedankt hat, wenn sie ihren Mann wieder glücklich bei sich hatte. Zu jener Zeit waren kaum 40 Haushaltungen dort, mit denen, die von Hamburg nach Altona gekommen waren. Es sind unter ihnen damals keine besonders reichen Leute gewesen, doch jeder hat sich ehrlich ernährt.«[1]

(. . .)

»Als ich ungefähr zehn Jahre alt war, hat der Schwede mit dem König von Dänemark – Gott erhöhe seinen Ruhm! – Krieg geführt. Ich kann nicht viel Neues darüber schreiben, weil solches in meiner Kindheit geschehen ist, als ich noch im Cheder (der jüdischen Kinderschule) habe sitzen müssen. In jener Zeit sind wir in Altona in großen Sorgen gewesen; denn es war ein sehr kalter Winter, wie er in 50 Jahren nicht vorgekommen ist; man hat ihn den »schwedischen Winter« geheißen. Der Schwede hat damals überall hinüberkommen können, weil es so hart gefroren war. Mit einem Mal, an einem Sabbat, ertönt das Wehgeschrei: Der Schwede kommt! Es war noch früh am Morgen, alle lagen noch im Bett, da sind wir alle aus den Betten gesprungen und halb nackt nach der Stadt (Hamburg) gelaufen und haben uns teils bei Portugiesen, teils bei Bürgern behelfen müssen. So haben wir uns kurze Zeit ohne Erlaubnis dort aufgehalten, bis endlich mein seliger Vater das Wohnrecht erlangt hat, und er ist der erste deutsche Jude gewesen, der sich wieder in Hamburg niedergelassen hat. Danach hat man allmählich erreicht, daß noch mehr Juden in die Stadt zogen. So ließen sich fast alle jüdischen Hausväter in Hamburg nieder, außer denen, die vor der Austreibung in Altona gewohnt hatten; die blieben in Altona wohnen. Zu jener Zeit hat man sehr wenig

1 Denkwürdigkeiten der Glückel von Hameln. Aus dem Jüdisch-Deutschen übersetzt, mit Erläuterungen versehen und herausgegeben von Alfred Feilchenfeld. (Königstein/Ts.) 1980, S. 14–16. Die erläuternden Zusätze in Klammern stammen von mir.

Steuern an die Regierung gezahlt; ein jeder hat für sich selbst mit denen, die dazu eingesetzt waren (d. h. mit den Kämmereibürgern), akkordiert. Aber wir hatten keine Synagoge in Hamburg und keine Aufenthaltsrechte; wir wohnten dort nur durch die Gnade des Rates. Die Juden sind aber doch zusammengekommen und haben Gebetsversammlungen in Zimmern abgehalten, so gut sie konnten. Wenn der Rat auch etwas davon gewußt hat, so hat er ihnen doch gern durch die Finger gesehen. Aber wenn Geistliche es gewahr wurden, haben sie es nicht leiden wollen und haben uns verjagt; wie schüchterne Schafe mußten wir dann nach Altona ins Bethaus gehen. Das hat eine Zeitlang gedauert; dann sind wir wieder in unsere Betstübchen gekrochen. Also haben wir zuzeiten Ruhe gehabt, zuzeiten sind wir wieder verjagt worden – so geschieht es bis auf diesen Tag, und ich fürchte, daß solches immer dauern wird, solange wir in Hamburg sind und solange die Bürgerschaft in Hamburg regiert.«[2]

Dreierlei geht aus Glückels Schilderung mit aller Deutlichkeit hervor:

Erstens. Das Leben und die Lage der Juden in Hamburg und in Altona waren damals geprägt von großer Unsicherheit. Art und Ursache dieser Unsicherheit waren aber in beiden Orten völlig verschieden.

Zweitens. Daß das so war, hängt mit dem grundlegenden Unterschied in der rechtlichen und sozialen Stellung der Juden in Hamburg und in Altona zusammen: In Altona hatten die Juden, wie Glückel schreibt, »gute Privilegien« vom Landesherrn. Im Kriegsfalle aller-

2 Denkwürdigkeiten (wie Anm. 1), S. 16–18.

dings nützten ihnen die besten Privilegien nichts. Denn vor fremden Truppen konnte der Landesherr die Juden nicht besser schützen als den unbefestigten Grenzort Altona selbst. Wenn fremdes Militär Altona bedrohte, fühlte die besonders gefährdete jüdische Minderheit sich deshalb in den Mauern der festen Nachbarstadt Hamburg sicherer. War aber die Gefahr vorbei, konnten sie jederzeit nach Altona zurückkehren, wo sie zwar nicht als Bürger, aber als sogenannte Schutzjuden einen gesetzlich gesicherten und mehr oder weniger fest umrissenen Status besaßen, der bis weit ins 19. Jahrhundert hinein die rechtliche Grundlage jüdischer Existenz in Altona blieb. Ganz anders war es in Hamburg. Dort gab es keine monarchische Gewalt, welche die Politik bestimmte. Die Richtlinien der hamburgischen Politik ergaben sich vielmehr aus einem komplizierten Zusammenspiel verschiedener Gremien, von denen Glückel zwei nennt, Senat – oder wie sie sagt: Rat – und Bürgerschaft. Die Bürgerschaft war allerdings nicht wie heute ein demokratisch gewähltes Parlament, sondern die Versammlung aller »erbgesessenen Bürger«, das heißt, aller Bürger, die in Hamburg Grundbesitz hatten; und daß das Zusammenspiel zwischen Rat und Bürgerschaft oft eher ein Gegeneinanderspiel war, läßt sich gerade an der Hamburger Judenpolitik von den Anfängen bis zur Emanzipation im 19. Jahrhundert zeigen. Glückel weist ja selbst darauf hin, daß der Rat judenfreundlicher war als Geistlichkeit und Bürgerschaft. Tatsächlich sind letztere es auch gewesen, welche die Ostern 1649 erfolgte Judenaustreibung durchsetzten, von der Glückel erzählt. Allerdings läßt Glückels Darstellung noch etwas anderes erkennen: Als die Juden vor den schwedischen Truppen aus Altona nach Hamburg fliehen, finden sie dort, wie Glückel schreibt, »teils bei Portugiesen, teils bei Bürgern« Unterschlupf. Was es mit den »Portugicsen« auf sich hat, die selber Juden waren, werde ich später erklären; hier kommt es mir nur darauf an, festzustellen, daß das Verhalten der Hamburger Bürger den Juden gegenüber nicht ausnahmslos von Ablehnung oder gar Haß bestimmt war. Doch blieb die Lage der nach Hamburg zurückgekehrten Juden unsicher, auch nachdem sie dort wieder zugelassen worden waren. Um so verwunderlicher mag es scheinen, daß sie nicht in Altona blieben. Der Grund dafür ist ebenfalls bei Glückel angedeutet: Sie waren darauf angewiesen, in Hamburg ihr Brot zu verdienen. Aus anderen Quellen wissen wir, warum dies so war: Die Berufsstruktur der Hamburger Juden war eine andere als die der Juden in Altona; darum bot ihnen Altona, damals noch ein Flecken ohne Stadtrecht, keine oder nicht genug Verdienstmöglichkeiten.

Drittens tritt noch ein weiterer charakteristischer Grundzug der Geschichte der Juden in Hamburg und Altona in dem zitierten Glückel-Text zutage, nämlich die enge Beziehung der Hamburger Juden zu Altona und den Altonaer Juden. *Die* Gruppe der Hamburger Juden, zu der Glückel und ihre Familie gehörten, bestand aus Mitgliedern der Altonaer Synagogengemeinde und begrub ihre Toten auf dem jüdischen Friedhof in Altona. Diese Juden bezahlten nicht nur die mit den Kämmereibürgern vereinbarte Steuer an die Stadt Hamburg, sondern auch Schutzgeld an den Altonaer Landesherrn und konnten sich daher, wenn sie in Hamburg nicht bleiben durften, jederzeit in Altona niederlassen. (Was hier von Altona und den Altonaer Schutzjuden gesagt wurde, gilt übrigens im

wesentlichen auch für Wandsbek und die Wandsbeker Juden.)
Außer den Altonaer Schutzjuden in Hamburg gab es in der Hansestadt noch andere, nach Gemeindezugehörigkeit oder nach Herkunft und Gemeindezugehörigkeit verschiedene jüdische Gruppen, die jedoch alle auf die eine oder andere Weise mehr oder weniger eng mit Altona verbunden waren. Berücksichtigt man nun noch, daß es später auch in Altona mehr als *eine* jüdische Gemeinde gab, dann wird endgültig klar, wie kompliziert die Geschichte der Juden in Hamburg, Altona und Wandsbek gewesen ist. Dabei ist noch nicht einmal die Tatsache maßgebend, daß die Juden in diesen drei Orten insgesamt fünf verschiedenen jüdischen Gemeinden angehörten, auch nicht, daß die Grenze zwischen Hamburg und Altona und Hamburg und Wandsbek zugleich eine Landesgrenze war. Entscheidend ist, daß und wie die Geschichte der Juden in Hamburg, Altona und Wandsbek miteinander und mit der Stadt- und Landesgeschichte verflochten ist. Davon soll jetzt etwas ausführlicher die Rede sein.

Die Geschichte der Juden in Hamburg beginnt um 1575. Damals kamen die ersten portugiesischen Juden in die Hansestadt. Bei diesen »Portugiesen« (oder »Sefardim«, wie die jüdische Bezeichnung lautet), handelte es sich um Nachkommen zwangsgetaufter Juden, die aus Furcht vor der Inquisition die iberische Halbinsel verlassen hatten. Weil sie in Hamburg zunächst als Katholiken galten und auftraten und weil sie über Kapital und weitreichende Geschäftsverbindungen verfügten, die der Wirtschaft der Stadt zugute kamen, erhob sich zunächst kein Widerspruch gegen ihre Zuwanderung. Als ihre Zahl jedoch zunahm und

nach und nach bekannt wurde, daß sie jüdische Bräuche praktizierten, forderte die Bürgerschaft ihre Ausweisung. Der Senat, der die Bedeutung der Sefardim für die Hamburger Wirtschaft hoch veranschlagte und ihre Abwanderung nach Altona fürchtete, widersetzte sich diesem Begehren. Nach langem Hin und Her, an dem außer Bürgerschaft und Senat auch die Geistlichkeit und die Sefardim selbst beteiligt waren, konnten die letzteren endlich im Jahre 1612 mit dem Senat einen Kontrakt schließen, der ihnen gegen Zahlung einer Abgabe von 1000 Mark jährlich das Niederlassungs- und Aufenthaltsrecht zugestand. Die weitere Garantie, in ihrer Religionsausübung unbehelligt zu bleiben, hatten die in den Verhandlungen sehr selbstbewußt auftretenden Sefardim allerdings nicht durchsetzen können. Im Gegenteil, gottesdienstliche Versammlungen und die Vornahme der Beschneidung waren ihnen untersagt, die einzige Konzession an ihren Glauben war die sogenannte »Vergünstigung«, ihre Toten nach Altona überführen und auf dem Friedhofsgrundstück bestatten zu dürfen, das sie im Jahr zuvor von Graf Ernst von Holstein-Schauenburg erworben hatten.
Obwohl Geistlichkeit und Bürgerschaft weiter gegen den Aufenthalt von Juden in Hamburg agitierten, blieben die Sefardim auch später von einer Ausweisung verschont und erlangten sogar die offizielle Zulassung von Betstuben, in denen eine begrenzte Zahl von Familien sich versammeln durfte. Auf der anderen Seite mußten sie wiederholt eine Verschlechterung ihrer Aufenthaltsbedingungen hinnehmen. So wurde bereits 1617 die jährlich von ihnen zu zahlende Abgabe von 1000 auf 2000 Mark verdoppelt; und als die Bürgerschaft 1697 beim Senat durchsetzte, daß den portugie-

sischen Juden die einmalige Zahlung von 20 000 Mark auferlegt und gleichzeitig die jährliche Abgabe auf 6000 Mark verdreifacht und ihr Gottesdienst erneut scharfen Einschränkungen unterworfen wurde, wanderte ein Teil der vermögenden Hamburger Sefardim über Altona und Ottensen nach Amsterdam ab.
Die kaiserliche Kommission, die zur Beilegung des Zwists zwischen Senat und Bürgerschaft und zur Neuordnung der verfassungsmäßigen Verhältnisse nach Hamburg entsandt wurde, stellte auch das Hamburger Judenrecht auf eine neue Grundlage: Das von ihr ausgearbeitete und am 7. September 1710 vom Kaiser bestätigte und verkündete »Reglement der Judenschafft in Hamburg so Portugiesisch- als Hochteutscher Nation« bildete fortan für ein Jahrhundert den rechtlichen Rahmen für die Anwesenheit und das Leben von Juden in Hamburg. Sein 21. Artikel zeugt vom Ansehen und von der Leistung der Hamburger Sefardim. Es heißt dort:
»*Weil auch die Portugiesische Juden bekandter maßen den Hispanischen Handel in dieser Stadt grösten theils introduciret / über das biß anhero keine geringe / sondern ansehnliche Handlung geführet / sol es bei der Usance, wie es in vorigen Zeiten mit denen Portugiesischen Mäckelern gehalten / gelassen / und an der verstorbenen Stelle andere Mäckeler aus ihrer Nation, biß auf Funffzehen Personen anderen Mäckelern gleich / von E. E. Raht und denen zur Mäckeler-Ordnung Deputirten angenommen werden / (. . .)*«[3]

3 Das Von Ihro Römischen Kayserl. Majestät Allergnädigst-Confirmirte, Und von Dero Hohen Commission Publicirte Neue-Reglement Der Judenschafft in Hamburg / So Portugiesisch- als Hochteutscher Nation, de Dato 7. Septemb. Anno 1710. Hamburg o. J., S. 11 f.

Mit dem »Hispanischen Handel« ist der Import von Rohrzucker, Kaffee, Tabak und Gewürzen aus den spanischen und portugiesischen Kolonien und der Export nach der iberischen Halbinsel gemeint. Außenhandel und Maklergeschäft waren aber nicht die einzigen Erwerbszweige, in denen portugiesische Juden in Hamburg tätig waren. Sie befaßten sich auch mit Schiffbau, Reederei, Tabakverarbeitung und Zuckersiederei; und einige von ihnen arbeiteten als Goldschmiede und Ärzte. Unter den sefardischen Ärzten waren einige über Hamburg hinaus bekannt und dienten verschiedenen Monarchen als Leibärzte. Nicht zuletzt spielten Sefardim auch im Bank- und Geldgeschäft eine große Rolle: An der Gründung der Hamburger Bank im Jahre 1619 waren nicht weniger als vierzig portugiesische Juden beteiligt; und noch »Fast bis zum Ende des 18. Jahrhunderts waren [sie] beinahe die einzigen regelmäßigen Wechselkäufer in Hamburg«.[4] Wie angesehen die Hamburger Sefardim waren, geht auch daraus hervor, daß einige von ihnen von auswärtigen Mächten zu deren Hamburger Residenten ernannt wurden oder skandinavischen Monarchen als Hoflieferant oder Finanzier dienten. Als Christine von Schweden sich 1654 in Hamburg aufhielt, stieg sie bei ihrem Hofbankier Diego de Texeira ab; und Diegos Sohn Manuel war lange Jahre hindurch königlich schwedischer Resident in Hamburg, dessen Gleichbehandlung mit anderen königlichen Residenten die Königin beim Senat durchsetzte, so daß die ganze Hauptwache vor ihm ins Gewehr treten mußte,

4 Isidor Goldberg, Artikel »Finanz- und Bankwesen« in: Encyclopaedia Judaica. Das Judentum in Geschichte und Gegenwart. Band 6. Berlin (1930), Sp. 971–1007; die zitierte Stelle: Sp. 976.

wenn er über den Großneumarkt fuhr. Gleichberechtigt war er freilich trotzdem nicht: als er 1670 ein Haus am Neuen Wall ersteigerte, in dem früher ein schwedischer Minister gewohnt hatte, wollte der Senat ihn, den derzeitigen schwedischen Ministerresidenten, nicht darin wohnen lassen, weil er Jude war.
Bedeutung und Einfluß der Hamburger Sefardim nahmen seit dem 18. Jahrhundert stark ab; auch ihre Zahl ging zurück, blieb aber seit dem 19. Jahrhundert einigermaßen konstant. (Sie lag bis 1927 bei 200, wobei Dienstboten nicht mitgerechnet sind.)
Was die inneren Verhältnisse der Hamburger sefardischen Gemeinde und ihre Entwicklung betrifft, muß ich mich hier mit einigen knappen Hinweisen begnügen. 1652 schlossen sich die wohl spätestens seit 1610 entstandenen kleinen sefardischen Gemeinden in Hamburg zu *einer* Gemeinde zusammen, deren Vorstand eine ziemlich weitgehende Kontrolle über die Gemeindemitglieder ausübte. Im Anfang des 19. Jahrhunderts verarmte die Gemeinde, weil sie mit Hilfe ihres Vermögens die zahlreichen Armen unter den Hamburger Sefardim so ausstattete, daß sie von der Ausweisung durch die Franzosen verschont blieben. Infolgedessen geriet sie später in Zahlungsschwierigkeiten und mußte ihre Synagoge am Alten Wall und sonstigen Grundbesitz verkaufen. Die in derselben Straße neuerrichtete und 1834 eingeweihte Synagoge fiel 1842 mit dem größten Teil des reichhaltigen Gemeindearchivs dem großen Hamburger Brand zum Opfer. Erst 1854/55 konnte mit auswärtiger Unterstützung eine neue, die letzte Synagoge der Sefardim in Hamburg gebaut werden. Von dieser Synagoge schreibt Alfonso Cassuto in seiner 1927 veröffentlich-

ten »Gedenkschrift anlässlich des 275jährigen Bestehens der portugiesisch-jüdischen Gemeinde in Hamburg«: Sie sei »ein Schmuckstück in ihrer maurischen Architektur und durch eine außergewöhnliche Akustik ausgezeichnet« und bilde »eine oft von Fremden aufgesuchte Sehenswürdigkeit, als einziges portugiesisch-jüdisches Gotteshaus Deutschlands«.[5]
In Altona gab es das ganze 17. Jahrhundert hindurch nur einzelne portugiesische Juden, und diese hielten sich meist auch nur vorübergehend dort auf. Andere, die während dieses Zeitraums Altonaer Schutzjuden wurden oder sogar das Altonaer Bürgerrecht erlangen konnten, haben wahrscheinlich oder nachweislich nie in Altona gewohnt. Erst Anfang des 18. Jahrhunderts entstand dort eine sefardische Gemeinde, die als bloße Filiale der Hamburger Gemeinde galt, was aber ihrem Selbstverständnis nicht entsprach. Sie war klein, brachte zeitweilig nicht einmal die zum jüdischen Gottesdienst erforderliche Mindestzahl von zehn männlichen Betern zusammen und griff dann auf bezahlte Aushilfskräfte aus der deutschen Judengemeinde zurück. Später stabilisierte sich ihr stark fluktuierender Bestand soweit, daß sie mit auswärtiger Unterstützung eine Synagoge bauen konnte, die 1771 im Beisein des Magistrats eingeweiht wurde. Im Lauf des 19. Jahrhunderts schmolz die Zahl ihrer Mitglieder jedoch nach und nach soweit zusammen, daß die Synagoge 1882 wegen Mangels an Gottesdienstbesuchern geschlossen und fünf Jahre später die Gemeinde förmlich aufgelöst werden mußte.

5 Alfonso Cassuto, Gedenkschrift anlässlich des 275jährigen Bestehens der portugiesisch-jüdischen Gemeinde in Hamburg. Amsterdam 1927, S. 21 f.

Was die portugiesischen Juden in Altona von allen anderen Juden in Hamburg, Altona und Wandsbek, ja in Deutschland überhaupt, abhebt, ist die Tatsache, daß ihnen bereits 1719 generell die Bürgerrechtsfähigkeit zuerkannt wurde, während Altonas deutsche Juden bis 1842, die Juden in Hamburg bis 1849 darauf warten mußten.

Die portugiesischen Juden stellten vor allem in der frühen Zeit ihres Hierseins einen wichtigen Faktor in der hamburgischen Stadtgeschichte dar, verloren dann aber mehr und mehr an Bedeutung. Bei den deutschen Juden (oder »Aschkenasim«, wie die jüdische Bezeichnung lautet) war es umgekehrt: Die Anfänge waren bescheiden, aber schon im Lauf des 18. Jahrhunderts überflügelten die Aschkenasim die Sefardim. Die Gemeinde der deutschen Juden in Altona erlebte damals ihre Blütezeit, während die Hamburger Aschkenasim erst im 19. Jahrhundert den Höhepunkt ihrer Entwicklung erreichten.
In Altona lebten die deutschen Juden bis weit ins 19. Jahrhundert hinein als sogenannte »Schutzjuden« und hatten mehr Freiheit als anderswo. Als die ersten von ihnen dort die Niederlassungsgenehmigung erhielten, gehörte Altona mit dem Amt Pinneberg noch zum Territorium der Grafen von Holstein-Schauenburg. Die ersten Juden, die sich in Altona niederlassen durften, kamen wahrscheinlich im ersten Jahrzehnt des 17. Jahrhunderts dorthin. Sichere Nachrichten von Juden in Altona haben wir allerdings erst seit 1611, und in das gleiche Jahrzehnt fallen auch der Erwerb eines Friedhofsgrundstücks, die erste Beerdigung auf diesem Friedhof und die Gründung einer regelrechten Gemeinde mit Gemeindevorstand, Rabbi-

ner, Vorbeter und Gemeindediener durch die dort ansässigen deutschen Juden, deren Zahl von 4 Familien im Jahre 1611 auf 30 Familien im Jahre 1622 anwuchs, sich in der Folgezeit jedoch wieder auf 10 Familien verringerte. Dieser Rückgang und die Übersiedlung eines Teils der Altonaer Schutzjuden nach Hamburg in den zwanziger Jahren hängen wahrscheinlich mit den Wirren des Dreißigjährigen Krieges zusammen, die eben damals den holsteinischen Teil der Grafschaft heimzusuchen begannen und es dem Grafen unmöglich machten, die Juden so zu schützen, wie es ihnen in ihrem Privileg zugesichert worden war. Nach dem Tode des letzten Grafen von Holstein-Schauenburg kam Altona mit den Ämtern Pinneberg und Hatzburg (Wedel) an den dänischen König, bei dem die Altonaer Juden alsbald um Bestätigung ihrer Privilegien anhielten. Dem entsprechend stellt das berühmte Generalprivileg Christians IV. für die Altonaer Juden vom 1. August 1641 dem Wortlaut seines Textes nach lediglich eine Konfirmation der den deutschen Juden in Altona von den Schauenburgern verliehenen Privilegien dar. Dieses Generalprivileg sicherte den in Altona und Hamburg wohnenden ehemals Schauenburger Schutzjuden gegen Erlegung eines jährlichen Schutzgeldes den königlichen Schutz zu, gewährte ihnen Freiheit der Religion und des Handels sowie eigene Schiedsgerichtsbarkeit in Bagatellsachen, setzte den Zins fest, den jüdische Pfandleiher nehmen durften und regelte den Verkauf verfallener Pfänder und die Rückgabe unwissentlich gekauften oder beliehenen Diebesguts.
Der Judenschutz stand freilich, wie wir von Glückel wissen, in kriegerischen Zeitläuften nur auf dem Papier. Trotzdem entwickelte die Altonaer aschkenasi-

sche Gemeinde sich von nun an, aufs Ganze gesehen, einigermaßen stetig. Es gelang ihr, eine Gleichstellung ihrer Mitglieder mit den portugiesischen Juden hinsichtlich der Einreisemöglichkeit nach Dänemark zu erreichen, das Jurisdiktionsprivileg von einer bloßen Zeremonial- und Schiedsgerichtsbarkeit auf die Gerichtsbarkeit in Zivilsachen auszudehnen und den Amtsbezirk des Altonaer Oberrabiners als Richter und geistliches Oberhaupt der aschkenasischen Juden auf ganz Schleswig-Holstein (mit Ausnahme Glückstadts) zu erweitern. Der Vorstand der jüdischen Gemeinde nahm gewisse obrigkeitliche Funktionen wahr, indem er zum Beispiel bei der Kontrolle der jüdischen Zuwanderung mitwirkte und für die Aufbringung und Ablieferung der Judensteuern zuständig war. Nicht nur in Schleswig-Holstein, sondern auch im Hamburger Raum nahm die Altonaer aschkenasische Gemeinde eine Vorrangstellung ein, auf die noch zurückzukommen sein wird. Sie vermochte namhafte Rabbiner an sich zu ziehen, die als Oberrabbiner in Altona lebten und wirkten.

Als um die Mitte des 18. Jahrhunderts ein in Altona als Privatmann lebender Rabbiner, Jakob Emden, den damaligen Oberrabbiner Jonathan Eybeschütz der Ketzerei bezichtigte, entwickelte sich daraus ein langwieriger, mit großer Erbitterung geführter Streit, der nicht nur die Gemeinde in zwei feindliche Lager teilte, sondern alle großen Gemeinden Mittel- und Osteuropas in seinen Bann zog und auch die dänischen Behörden jahrelang beschäftigte.

Als Synagoge dienten der Gemeinde seit der Schauenburger Zeit zu diesem Zweck erworbene und eingerichtete Wohnhäuser. 1680 erteilte Christian V. die Genehmigung zum Synagogenbau, der 1682–84 aus-

geführt wurde. Diese Synagoge brannte 1711 ab, wurde 1715/16 wieder aufgebaut und diente der jüdischen Gemeinde in Altona in der ganzen Zeit ihres Bestehens als Gotteshaus.
In Wandsbek erhielten aschkenasische Juden wohl ebenfalls Ende des 16. oder Anfang des 17. Jahrhunderts – und zwar möglicherweise früher als in Altona – erstmals die Erlaubnis zur Niederlassung. Die darüber vorliegenden Nachrichten stammen allerdings aus späterer Zeit, sind widersprüchlich und quellenmäßig nicht belegt. Ob die Wandsbeker aschkenasische Gemeinde tatsächlich, wie sie sich rühmte, die älteste jüdische Gemeinde im Hamburger Raum war, muß also dahingestellt bleiben. Die Privilegien, welche den Juden in Wandsbek von den Besitzern des Gutes und Dorfes nach und nach erteilt wurden, entsprachen inhaltlich weitgehend denen der Altonaer Juden. Das von den aschkenasischen Juden zu entrichtende Schutzgeld allerdings ist in Wandsbek offenbar erheblich niedriger gewesen als in Altona. Trotzdem war die Zahl der Juden in Wandsbek nicht eben groß, sie wird 1647 mit 8 Familien, 1773 mit 6–7 Familien angegeben. 1688 erhielt die Wandsbeker aschkenasische Gemeinde die Erlaubnis, auswärts wohnende Juden aufzunehmen, die als Wandsbeker Schutzjuden galten und das Wandsbeker Schutzgeld bezahlen mußten. Das führte bald dazu, daß die Zahl der Gemeindeglieder, die auswärts – vor allem in Hamburg – wohnten, weit größer war als die Zahl der Juden in Wandsbek selbst.
In Hamburg stand das Leben der aschkenasischen Juden das ganze 17. Jahrhundert hindurch im Zeichen der Unsicherheit, von der Glückel berichtet. Erst mit dem bereits erwähnten kaiserlichen Reglement von

1710 wurden sie den sefardischen Juden in rechtlicher Hinsicht in allen wesentlichen Punkten gleichgestellt.
Hamburgs deutsche Juden teilten sich bis 1812 in drei Gruppen. Die älteste davon bestand aus den Hamburger Mitgliedern der Altonaer, die jüngste aus den Hamburger Mitgliedern der Wandsbeker Gemeinde. Bei der dritten, chronologisch der mittleren, Gruppe handelte es sich ursprünglich um »Dienstboten der (portugiesischen) Nation« (criados da nação), das heißt um wirkliche oder vorgebliche Bedienstete der sefardischen Juden, die als solche 1649 von der Ausweisung verschont blieben. In den sechziger Jahren des 17. Jahrhunderts löste diese Gruppe sich von der sefardischen Gemeinde, unter deren Protektorat und Aufsicht sie bis dahin gestanden hatte, und bildete eine eigene Kongregation, die Hamburger Gemeinde aschkenasischer (oder, wie man damals auch sagte, »hochdeutscher«) Juden, die ihren Friedhof in Ottensen hatte. Die Altonaer Gemeinde suchte diese Gemeindebildung zu hintertreiben und verstand es, als ihr dies auf die Dauer nicht gelang, ihre Vorrangstellung zu behaupten und vertraglich zu sichern. Wenig später schlossen die aschkenasischen Gemeinden Altona, Hamburg und Wandsbek sich zum Verband der sogenannten »Drei Gemeinden« zusammen. Alle drei Gemeinden unterstanden dem Oberrabbiner und dem jüdischen Gericht in Altona und trafen darüber hinaus durch eine gemeinsame Kommission einheitliche Regelungen für manches – wie zum Beispiel Zuwanderungskontrolle und Armen- und Wandererfürsorge –, wofür an sich die Vorstände der Einzelgemeinden zuständig waren. Dieser Gemeindeverband wurde erst aufgelöst, als Hamburg dem französischen

Kaiserreich einverleibt wurde. Dieses Ereignis bedeutete einen folgenschweren Eingriff auch in die Struktur der drei Einzelgemeinden; und da er nach Napoleons Fall nicht rückgängig gemacht wurde, beginnt mit ihm ein neues Kapitel in der Geschichte der aschkenasischen Juden in Hamburg, Altona und Wandsbek.
Ehe ich jedoch darauf eingehe, muß ich noch kurz etwas über die Erwerbstätigkeit der deutschen Juden in Hamburg, Altona und Wandsbek sagen.
Handel und Pfandleihe gehörten zu den ältesten Erwerbszweigen der aschkenasischen Juden in Altona, auch jüdische Schlachter, die nicht nur an Juden verkauften, scheint es schon früh gegeben zu haben. Klein- und Hausierhandel und Pfandleihe spielten auch später unter den Erwerbsquellen der Altonaer Juden eine wichtige Rolle; dazu kamen nach und nach verschiedene Handwerke, die freilich bis ins dritte Jahrzehnt des 19. Jahrhunderts außerhalb der den Juden verschlossenen Zünfte betrieben werden mußten. Auch jüdische Transportarbeiter (»Karrenschieber«) gab es. Andere Berufe, die von aschkenasischen Juden in Altona in der älteren Zeit ausgeübt wurden, waren der des Arztes, Fabrikanten, Maklers, Druckers und Musikanten.
Auch in Hamburg lebten die deutschen Juden hauptsächlich vom Handel. Aber dieser Handel war, anders als in Altona, zum großen Teil binnendeutscher Fernhandel, hauptsächlich mit Gold, Juwelen, Tabak und Wolle, aber auch mit allen möglichen anderen Waren. Dazu kamen als weitere Erwerbszweige das Bank- und Wechselgeschäft sowie der Kleinhandel, der vor allem als Straßen- oder Hausierhandel betrieben wurde. (Offene Läden von Juden wurden zwar stillschwei-

gend geduldet, aber noch das ganze 18. Jahrhundert hindurch wurde ihnen das Recht darauf von interessierter Seite immer wieder einmal streitig gemacht; und der Senat gab in solchen Fällen meist der antijüdischen Lobby nach und ließ die Aushängeschilder der Juden einziehen, wodurch die Ladeninhaber gezwungen wurden, wie die fliegenden Kleinhändler ihre Kunden auf der Straße oder in den Häusern zu suchen.) Auch jüdische Pfandleiher gab es in Hamburg, doch hatte dieser Erwerbszweig für die Hamburger Juden nicht entfernt die Bedeutung wie für die Juden in Altona. Im Handwerk waren nicht allzu viele Hamburger Aschkenasim tätig, weil die Zünfte keine Juden zuließen und scharf gegen jede unzünftige Konkurrenz vorgingen. Wir finden sie demgemäß vor allem in solchen Branchen, die unmittelbar dem jüdischen Bedarf dienten oder nicht zunftgebunden waren. Neben den aschkenasischen Juden in Handel, Handwerk und Gewerbe gab es in Hamburg schließlich auch solche, die ihr Brot als Lehrer oder Arzt verdienten.

Über die Berufsstruktur der Wandsbeker Juden in der älteren Zeit finden sich keine detaillierten Angaben in der Literatur, abgesehen von der Erwähnung einer hebräischen Druckerei, die Abraham aus Jeßnitz im 18. Jahrhundert eine Zeitlang in Wandsbek betrieb. Da die Juden in Wandsbek ärmer und weniger gebildet waren als ihre Glaubensgenossen in Hamburg und Altona, ist anzunehmen, daß sie sich hauptsächlich vom Kleinhandel ernährten. (Die Wandsbeker Schutzjuden in Hamburg allerdings werden sich, was die Berufsstruktur angeht, wohl nicht wesentlich von den anderen aschkenasischen Juden in der Hansestadt unterschieden haben.)

Die Einverleibung Hamburgs ins napoleonische Reich, die nach fast vierjähriger französischer Besatzung im Dezember 1810 erfolgte, hatte, wie bereits angedeutet, schwerwiegende und weitreichende Folgen für die Juden in Hamburg, Altona und Wandsbek. Französische Gesetze, die nun auch in Hamburg galten, verschafften den Hamburger Juden mit einem Schlage die volle bürgerliche und politische Gleichberechtigung, erzwangen aber die 1812 endgültig vollzogene Auflösung des Verbandes der Drei Gemeinden und nötigten die verschiedenen in Hamburg wohnenden Gruppen aschkenasischer Juden, sich zu *einer* Gemeinde zusammenzuschließen. Die Gleichberechtigung wurde nach dem Ende der napoleonischen Ära rückgängig gemacht, und alle Versuche, ihre Beibehaltung in Hamburg selbst oder beim Wiener Kongreß durchzusetzen, schlugen fehl. Die alte Gemeindeeinteilung und der Verband der Drei Gemeinden dagegen wurden nicht wiederhergestellt. Damit war die Hamburger aschkenasische Gemeinde, die »Deutsch-Israelitische Gemeinde in Hamburg«, wie sie sich jetzt nannte, zur größten jüdischen Gemeinde in Deutschland geworden. Umgekehrt hatten die Altonaer und die Wandsbeker Gemeinde durch diese Entwicklung einen beträchtlichen Teil ihrer Mitglieder eingebüßt; und dieser Verlust traf sie doppelt schwer, weil es sich hierbei vor allem um wohlhabende und entsprechend hoch besteuerte Gemeindeglieder handelte und die dänischen Behörden von den Restgemeinden die Zahlung der Judenabgaben in der bisherigen Höhe forderten.
Da das alte konstitutionelle Band zwischen den Juden in Hamburg, Altona und Wandsbek nun zerrissen war, verlief die weitere Entwicklung hier wie dort un-

abhängig und, der territorialen Zugehörigkeit entsprechend, unterschiedlich.
In Hamburg stand die Entwicklung bis um die Jahrhundertmitte ganz im Zeichen vielfältiger Bemühungen um Emanzipation und soziale Integration der Juden einerseits und um eine von Teilen der Judenschaft als notwendig empfundene innerjüdische Reform andererseits. Beides hing miteinander zusammen. Denn die Anhänger der Reform hofften, durch die Abstoßung historischen Ballasts und eine Modernisierung des jüdischen Erziehungswesens und des synagogalen Gottesdienstes »das überlieferte Judentum mit der Kultur der Zeit zu versöhnen«[6] und dadurch einerseits die Juden auch in den Augen der Nichtjuden emanzipationswürdig und emanzipationsfähig zu machen und andererseits die modernen Ideen zuneigenden Juden dem Judentum zu erhalten. Die Unterrichtsreform, die stärkeres Gewicht als bis dahin üblich auf die profanen Fächer legte und manchen von ihnen überhaupt erst Eingang in das jüdische Unterrichtswesen verschaffte, begann bei Privatlehrern, welche Kinder wohlhabender Eltern unterrichteten. Wichtiger war die 1815 aufgrund privater Initiative gegründete »Israelitische Freischule«, die es sich zur Aufgabe setzte, »gute, brauchbare Dienst- und Gewerbsleute zu bilden« und die ihr anvertrauten Kinder unbemittelter Eltern »zu brauchbaren Gliedern der Gesellschaft zu machen«, wie es im Gründungs-

6 Helga Krohn, Die Juden in Hamburg 1800–1850. Ihre soziale, kulturelle und politische Entwicklung während der Emanzipationszeit. (Frankfurt 1967. Hamburger Studien zur neueren Geschichte. Band 9), S. 30.

programm hieß;[7] und das sollte, den Statuten der Schule zufolge, nicht zuletzt durch »die Auslöschung aller« die Juden von den Nichtjuden unterscheidenden »Eigenthümlichkeiten in Sitten, Sprache und äußerem Verhalten« erreicht werden.[8] Auch die Reform des Unterrichts in der 1805 gegründeten orthodoxen Gemeindeschule, der Talmud Tora-Schule, die etwas später erfolgte und im wesentlichen ein Verdienst des 1821 zum Oberrabbiner gewählten Isaac Bernays war, drängte den Religionsunterricht zugunsten der profanen Fächer zurück und legte besonderen Wert auf den Unterricht der deutschen Sprache. (Begabten Hamburger Juden stand außerdem seit 1803 die Gelehrtenschule des Johanneums offen, und viele später bedeutende Männer jüdischer Herkunft sind durch diese Schule gegangen.) – Die Synagogenreform vollzog sich zunächst auf die Weise, daß 66 Mitglieder der Gemeinde 1817 den »Neuen Israelitischen Tempelverein in Hamburg« gründeten, der ein Jahr später ein eigenes gottesdienstliches Gebäude in der Gegend des Großneumarktes in Gebrauch nahm und ein eigenes Gebetbuch herausgab. Kennzeichen des reformierten Gottesdienstes waren Gebete in deutscher – statt in hebräischer – Sprache, deutscher und hebräischer Gesang mit Orgelbegleitung und obligatorische Predigt in deutscher Sprache. Der Tempelverein und seine Aktivitäten wurden von orthodoxen Kreisen in ganz Deutschland heftig angegriffen. Auch in Ham-

7 Eduard Kley, Geschichtliche Darstellung der Israelitischen Freischule zu Hamburg; bei Gelegenheit der Feier ihres fünf- und zwanzigjährigen Bestehens (am 31. October 1841) mitgetheilt. Hamburg 1841, S. 7.

8 Gesetz-Entwurf für die Israelitische Freischule zu Hamburg. Altona 1820, § 3, hier zitiert nach Krohn (wie Anm. 6), S. 30.

burg regte sich Protest. Trotzdem kam es nicht zur endgültigen Spaltung, die organisatorische Einheit der Gemeinde konnte gewahrt werden. Nicht zuletzt deshalb blieb die Reform auf die Dauer nicht auf den Tempelverein beschränkt, da die Gruppen der orthodoxen und der Reformjuden innerhalb der Hamburger Gemeinde sich gegenseitig beeinflußten, so daß nicht nur die Reform gemäßigt blieb, sondern die Orthodoxen auch einiges von ihr übernahmen. Die Reformbewegung selbst ist übrigens nicht in Hamburg entstanden, der Tempelverein griff vielmehr auf auswärtige Vorbilder zurück. Aber die von ihm ausgehenden Impulse waren von großer Bedeutung für die Ausbreitung und weitere Entwicklung des Reformjudentums. – Neben dem Erziehungswesen und dem Gottesdienst galten die Bemühungen um eine innerjüdische Reform in Hamburg drittens einer Berufsumschichtung. Diese sollte die traditionelle Beschränkung der Juden auf relativ wenige Erwerbszweige aufheben, neue Erwerbsmöglichkeiten erschließen und durch die Schaffung eines gesunden Mittelstandes den sozialen und wirtschaftlichen Aufstieg der jüdischen Unterschichten bewirken und damit zugleich der »öffentlichen Meinung« über die Voraussetzungen der Judenemanzipation Rechnung tragen.

Allen diesen Bemühungen waren nur Teilerfolge beschieden. Das zeigte sich recht deutlich, als die jüdische Gemeinde seit den dreißiger Jahren versuchte, durch Eingaben an den Rat »auf dem gesetzlichen Wege eine Verbesserung der rechtlichen Stellung der Israelitischen Gemeinde herbeyzuführen« (wie es in einem zeitgenössischen Dokument hieß).[9] Denn diese

9 Staatsarchiv Hamburg. Bestand Jüdische Gemeinden 260f, S. 55, hier zitiert nach Krohn (wie Anm. 6), S. 61.

Versuche schlugen fehl, die traditionellen Gruppierungen und Frontstellungen waren noch zu mächtig, und gegen die reaktionären Kräfte war der an sich wohlwollende Senat machtlos. Nach dem Hamburger Brand von 1842 setzte der Rat unter dem Druck einer von der Patriotischen Gesellschaft getragenen Bewegung die Emanzipationsfrage wieder auf die Tagesordnung. Aber obwohl die Öffentlichkeit nicht zuletzt wegen des Verhaltens von Salomon Heine bei und nach dem Brand allgemein etwas judenfreundlicher dachte als vorher, wurden schließlich doch nur die für die Juden immer noch geltenden »Beschränkungen hinsichtlich des Erwerbs von Grundeigentum« und hinsichtlich der freien Wahl der Wohngegend aufgehoben, darüber hinausgehende Gesetzesvorlagen dagegen vom Oberaltenkollegium abgeblockt. Erst die mit der Revolution von 1848 eintretenden Veränderungen brachten den Hamburger Juden die rechtliche Gleichstellung. Sie kam von außen. Denn noch bevor die von allen Einwohnern (einschließlich der Juden) gewählte verfassunggebende Versammlung, die Hamburger »Konstituante«, unter deren 188 Mitgliedern 14 Juden waren, einen Verfassungsentwurf vorlegen konnte, veröffentlichte die Frankfurter Nationalversammlung im Dezember 1848 die »Grundrechte der Deutschen« und verpflichtete die deutschen Staaten, sie anzuerkennen; und Artikel 16 der »Grundrechte« sicherte den Juden die Gleichstellung in bürgerlicher und staatsbürgerlicher Hinsicht. In Hamburg wurden die »Grundrechte« am 20. Januar 1849 durch ein »Publicandum« des Rates bekanntgemacht und damit für Hamburg in Kraft gesetzt. Unmittelbar darauf wurde eine »Provisorische Verordnung behufs Ausführung des § 16 der Grundrechte des deutschen Volkes in bezug auf die Israeliten« ausgearbeitet, die am 21. Februar durch »Rath- und Bürger-Schluß« gebilligt und am 23. Februar veröffentlicht wurde und damit Gesetzeskraft erlangte. Weil die Judenemanzipation auf diese verfassungsgemäße Weise Hamburger Recht geworden war, wurde sie nicht rückgängig gemacht, als die Revolution scheiterte und die Grundrechte 1851 vom Bundestag wieder aufgehoben wurden. – Die Juden machten von den ihnen mit der »Provisorischen Verordnung« eröffneten Möglichkeiten sogleich regen Gebrauch, vor allem, indem sie in großer Zahl das teure Großbürgerrecht erwarben. Die Entwicklung, an deren Ende die volle rechtliche Gleichstellung der Hamburger Juden stand, war damit freilich noch nicht abgeschlossen, sie reichte noch ein gutes Stück in die zweite Jahrhunderthälfte hinein. Denn noch besaßen die Juden nicht die vollen politischen Rechte, noch galt das besondere jüdische Erb- und Familienrecht, und noch bildete die jüdische Gemeinde als Zwangsverband mit eigener Armenversorgung einen »Staat im Staate«, wie man es damals zu nennen pflegte. Erst die neue Hamburger Verfassung von 1860 brachte den Hamburger Juden die vollen politischen Rechte; und im Jahre 1864 endlich brachten zwei Gesetze die Emanzipation der Hamburger Juden zum Abschluß, von denen das eine sie auch in Familien- und Erbsachen den ordentlichen Gerichten unterwarf, das andere die jüdische Gemeinde in eine bloße Religionsgesellschaft umwandelte. Dieser Umwandlung entsprach eine innere Reorganisation der Gemeinde, die mit dem Inkrafttreten neuer Gemeindestatuten im Jahre 1867 abgeschlossen wurde. Die wichtigsten Punkte dieser Reorganisation waren eine gewisse Demokratisierung der Gemeindeleitung und die Tren-

nung von Kultus und Gemeindeverwaltung. Die Demokratisierung bestand darin, daß künftig ein von den steuerzahlenden Gemeindemitgliedern gewähltes Repräsentantenkollegium an der Gemeindeleitung beteiligt wurde. Die Einheit der Gemeinde wurde trotz der divergierenden religiösen Richtungen dadurch gewahrt, daß die Kultusangelegenheiten zwei weitgehend autonomen Verbänden, dem liberalen Tempelverband und dem orthodoxen Synagogenverband, übertragen wurden, während die Gesamtgemeinde für Wohlfahrts-, Schul- und Begräbniswesen, für die Finanzverwaltung und für die Vertretung der Hamburger Juden den Behörden gegenüber zuständig blieb. Daß Einheit und Frieden trotz der bestehenden Gegensätze und mancher Streitfälle und Spannungen der Gemeinde auf die Dauer erhalten blieben, lag allerdings nicht nur an dieser ihrer verfassungsmäßigen Struktur, sondern auch daran, daß die divergierenden Gruppen praktische Toleranz übten, was sich vor allem dadurch zeigte, daß im Gemeindevorstand immer auf die Minorität und ihre religiösen Überzeugungen Rücksicht genommen wurde.
Etwa zur gleichen Zeit, in der die Emanzipation der Hamburger Juden zum Abschluß kam, wurde durch das »Gesetz betreffend die Verhältnisse der Juden im Herzogtum Holstein« vom 14. Juli 1863 auch den Altonaer und Wandsbeker Juden die rechtliche Gleichstellung zuteil. Auch hier reichten die Bemühungen um die Judenemanzipation bis in die ersten Jahrzehnte des Jahrhunderts zurück. Aber während die Juden in Dänemark bereits 1814 den nichtjüdischen Staatsbürgern gleichgestellt wurden, zog sich das Ringen um die Emanzipation in den der dänischen Krone unterstehenden Herzogtümern Schleswig und

Holstein bis 1854 beziehungsweise bis 1863 hin. Das hatte zwei Gründe. Einmal war die mehrheitlich orthodox gesinnte Altonaer Gemeinde, welche als größte und bedeutendste Gemeinde der Herzogtümer von den mit Emanzipationsplänen befaßten Zentralbehörden konsultiert wurde, zwar an der Gleichberechtigung interessiert, wollte aber gleichzeitig an der eigenen Gerichtsbarkeit und anderen mit der vollen rechtlichen Gleichstellung nicht vereinbaren Privilegien festhalten und lieber auf die Emanzipation verzichten als diese Privilegien aufgeben. Und zum anderen war die Mehrheit in der schleswigschen und in der holsteinischen Ständeversammlung lange Zeit hindurch gegen die Gleichberechtigung der Juden; und der König, der persönlich an der Emanzipation interessiert war, wollte doch weder gegen die Wünsche der Judenschaft handeln noch sich über das Votum der Ständeversammlungen hinwegsetzen, obwohl letzteres nach der Verfassung möglich gewesen wäre.
An der in Hamburg, Altona und Schleswig-Holstein in der Öffentlichkeit, in der Presse und mit Flugschriften geführten Emanzipationsdebatte beteiligten sich prominente Juden und Nichtjuden. Ich nenne hier nur zwei Namen, den bereits kurz erwähnten Hamburger Juristen und liberalen Politiker Gabriel Riesser und den Altonaer jüdischen Arzt und Philosophen Salomon Ludwig Steinheim. Unter den Emanzipationsgegnern waren Konservative, die der Auffassung waren, der christliche Charakter des Staates verbiete die Gleichberechtigung der Juden, weil in einem christlichen Staat nur Christen Vollbürger sein könnten. Andere legten das Hauptgewicht auf die von ihnen behauptete unaufhebbare Andersartigkeit der Juden, die als »Fremdlinge« und »Orientalen« bezeichnet wur-

den. Zu dieser Gruppe, deren Judenfeindschaft teils biographisch begründet war, teils auf Furcht vor jüdischer Konkurrenz beruhte, gehörte Wilhelm Marr, der als antisemitischer Schriftsteller und Journalist in den siebziger Jahren in weiteren Kreisen bekannt wurde, dessen rassistische Argumentation aber schon in der Hamburger Emanzipationsdebatte zutage trat.

Die jüdischen Vorkämpfer der Emanzipation, als deren Hamburger Exponent Gabriel Riesser anzusehen ist, fühlten sich als Deutsche jüdischen Glaubens; und sie hofften, daß der rechtlichen Gleichstellung der Juden ihre soziale Integration folgen würde, so daß schließlich der Unterschied zwischen Deutschen jüdischer Konfession und Deutschen christlicher Konfession keine größere Relevanz mehr haben würde als der Unterschied zwischen katholischen Deutschen und evangelischen Deutschen. Diese Hoffnung erfüllte sich nicht. Andere Juden, als deren typischer Vertreter der Hamburger Pädagoge Anton Rée gelten kann, hatten von vornherein der Auffassung kritisch gegenübergestanden, daß die soziale Integration als eine quasi natürliche Folge der Emanzipation sich sozusagen von selbst aus dieser ergeben würde. Mit diesem Zweifel behielten sie recht. Aber auch ihre Hoffnung, daß das Abstreifen aller jüdischen Eigenart, das Aufgehen in der Kultur der Majorität den Juden die soziale Integration bringen würde, erwies sich als trügerisch. Das zeigte sich nur zu deutlich, als in den letzten Jahrzehnten des 19. Jahrhunderts der Antisemitismus als politische Kraft sich zu formieren begann und als der »offene«, weitgehend kulturell definierte Nationalismus in Deutschland durch einen exklusiven,

völkisch-rassisch definierten Nationalismus weitgehend verdrängt wurde.
Dabei schienen die Chancen für die soziale Integration der Juden zunächst einigermaßen optimal zu sein, da etwa gleichzeitg mit der Emanzipation ein Strukturwandel der bis dahin mehr oder weniger streng berufsständisch gegliederten Gesellschaft sich anbahnte. Aber die Zeit, in der die Juden unangefochten als Deutsche jüdischer Herkunft und jüdischen Glaubens leben konnten, war zu kurz; und die herausragenden Leistungen einzelner wurden zwar ohne Rücksicht auf ihre jüdische Herkunft und Religion von der Mehrheit anerkannt, aber die soziale Integration der übrigen Juden förderte das kaum, und der zunächst noch kleinen Gruppe der politisch aktiven Antisemiten mußten diese Leistungen als »Beweisstück« für ihre unsinnige Behauptung der »Verjudung« wichtiger Bereiche der Wirtschaft und des öffentlichen Lebens dienen.
Diese für ganz Deutschland typische und durch den Weltkrieg nur vorübergehend unterbrochene Entwicklung vollzog sich auch in Hamburg, wenn auch mit gewissen charakteristischen Besonderheiten. Ich werde jetzt versuchen, die Geschichte der Juden in Hamburg von der Emanzipation bis 1933 unter den genannten Aspekten in ihren Grundzügen zu schildern. Auf die Zeit der Weimarer Republik kann ich dabei nicht ausführlicher eingehen, da es hier noch an einschlägigen Untersuchungen und an einer zusammenfassenden Darstellung fehlt. Das Gleiche gilt für die Geschichte der Juden in Altona und Wandsbek während des ganzen Zeitraums nach der Emanzipation, so daß ich Altona und Wandsbek nur gelegentlich erwähnen werde.

Die innerjüdische Entwicklung in Hamburg ist während des genannten Zeitraums gekennzeichnet durch zwei gegenläufige Tendenzen, die mit den Schlagworten »Säkularisierung« und »Rejudaisierung« bezeichnet werden können. Unter »Säkularisierung« ist die Tatsache zu verstehen, daß eine zunehmende Zahl von Juden sich der jüdischen Religion entfremdete und sich dem Judentum allenfalls noch als einem herkunftbedingten kulturellen Erbe verbunden fühlte. Zwar kam es in der Zeit nach der Umwandlung der Gemeinde in eine Religionsgesellschaft nicht zu dem von einigen befürchteten Massenaustritt, und die Gemeinde war zu keiner Zeit in ihrem Bestande ernsthaft bedroht. Aber Abwanderung und Verweltlichung fanden doch statt und erreichten über die Jahrzehnte hin einen beträchtlichen Umfang, wie eine 1927 veröffentlichte Statistik zeigt. Danach waren von knapp 20000 Hamburger Juden nur 8000 Mitglieder der Deutsch-Israelitischen Gemeinde, und von diesen gehörten wiederum nur zirka 2800 einem der Kultusverbände an, nämlich etwa 1700 dem orthodoxen Synagogenverband und der Rest dem liberalen Tempelverband und der Dammtorsynagoge; und ungefähr 50% der männlichen und 72% der weiblichen Juden besuchten nicht einmal an einem der jüdischen Feiertage die Synagoge. Auch die Zahl der Mischehen, die mit gewissen Einschränkungen als Indiz für religiöse Indifferenz gelten kann, hatte im Lauf der Zeit immer mehr zugenommen, lag über dem Reichsdurchschnitt und den Zahlen in Berlin und Frankfurt und hatte 1928 einen Anteil von 33% an allen von Juden geschlossenen Ehen erreicht.
Diesem Prozeß der Entfremdung vom Judentum als Religion stand innerhalb der Gruppe religiöser Juden

eine gewisse »Rejudaisierung« gegenüber, die keineswegs ausschließlich als Reaktion auf den Antisemitismus interpretiert werden kann. Eine solche »Rejudaisierung« vollzog sich zum Beispiel im Tempelverband, dessen Gottesdienst sich schon in der zweiten Hälfte des 19. Jahrhunderts wieder mehr der Orthodoxie näherte, indem die deutschen Choräle wieder abgeschafft und nur noch hebräische Texte gesungen wurden. Vom Zionismus – und damit zumindest indirekt auch vom Antisemitismus – beeinflußt war dagegen die von Joseph Carlebach, dem späteren Hamburger Oberrabbiner, als Leiter der orthodoxen Talmud Tora-Schule in den zwanziger Jahren wieder eingeführte stärkere Berücksichtigung der traditionellen jüdischen Fächer im Unterricht.
Von der nichtjüdischen Bevölkerung unterschieden sich die Hamburger Juden in diesem Zeitraum, bevölkerungsstatistisch gesehen, hauptsächlich durch eine überdurchschnittliche Schulbildung, durch ein – mindestens teilweise dadurch ermöglichtes – höheres Durchschnittseinkommen und – im Zusammenhang damit – durch eine unterdurchschnittliche Geburtenhäufigkeit. Folgenreicher, weil unmittelbar in die Augen fallend, war es, daß die Mehrheit der Hamburger Juden auch nach der Emanzipation eng beieinander wohnen blieb. Zwar wanderten sie im Zuge ihres wirtschaftlichen Aufstiegs aus ihren alten Wohngebieten in der Altstadt und Neustadt ab, aber dafür stellten sie nun in den vornehmen Neubauvierteln am Rothenbaum und in Harvestehude einen überdurchschnittlich hohen Anteil der dortigen Wohnbevölkerung, so daß manche Straßen am Rothenbaum fast ausschließlich von Juden bewohnt waren. Da die alten Synagogen zu weit von den neuen

Wohngebieten entfernt lagen, mußten neue Synagogen errichtet werden. So entstand zunächst die in der Benekestraße gelegene, 1895 erbaute »Synagoge vor dem Dammtor«, im allgemeinen kurz »Dammtorsynagoge« genannt, später die 1906 eingeweihte orthodoxe Hauptsynagoge am Bornplatz und schließlich der 1931 eingeweihte neue Tempel in der Oberstraße, dessen Gebäude im Gegensatz zu den anderen Synagogen das Dritte Reich überdauerte und heute dem NDR gehört.

Noch bei einer anderen Gelegenheit traten die Hamburger Juden als mehr oder weniger geschlossene Gruppe in Erscheinung, nämlich bei der Betreuung jüdischer Auswanderer und Flüchtlinge aus Osteuropa, die auf ihrem Weg aus einer unerträglichen Vergangenheit in eine ungewisse Zukunft nach oder durch Hamburg kamen. Ihnen gegenüber nahmen die Hamburger Juden eine zwiespältige Haltung ein. Einerseits fühlten sie sich ihnen als Juden zur Hilfe verpflichtet (und sie haben durch finanziellen und personellen Einsatz in dieser Hinsicht Bedeutendes geleistet); andererseits standen sie ihnen, die wie aus einer fremden Welt kamen, ablehnend gegenüber und wollten ihren Aufenthalt in Hamburg gern soweit als möglich begrenzen, weil sie fürchteten, die fremden Juden könnten den von ihnen selbst erreichten wirtschaftlichen und sozialen Status gefährden. Tatsächlich ließen sich auch nur wenige Ostjuden in Hamburg nieder; in Altona dagegen bildeten ostjüdische Zuwanderer in den zwanziger Jahren die Mehrheit der dortigen aschkenasischen Gemeinde.

Auf die herausragenden Leistungen einzelner Hamburger Juden in den verschiedenen Bereichen des öffentlichen Lebens kann ich nicht ausführlicher eingehen. Ich muß mich mit der summarischen und exemplarischen Anführung relativ weniger Beispiele begnügen. Als Politiker sind neben Gabriel Riesser, der unmittelbar vor Abschluß der Emanzipation in Hamburg starb, vor allem Isaac Wolffson und Anton Rée, aber auch Raphael Ernst May, als hoher Beamter ist Leo Lippmann zu nennen. Riesser, der sich auf lokaler und nationaler Ebene für die Judenemanzipation eingesetzt hatte und Vizepräsident der Frankfurter Nationalversammlung gewesen war, wurde später Vizepräsident der Hamburger Bürgerschaft, war an der Ausarbeitung der neuen Hamburger Verfassung beteiligt und wurde 1860 ins Obergericht gewählt (und war damit der erste jüdische Richter in Deutschland). Isaac Wolffson war 1859–89 Mitglied der Bürgerschaft, 1861–63 ihr Präsident, 1871–81 Reichstagsabgeordneter; 1879 wurde er zum Vorsitzenden der neugegründeten Hanseatischen Anwaltskammer gewählt. Er wirkte bei der Abfassung verschiedener wichtiger Gesetze mit und hat nach Erich Lüths Urteil bedeutend dazu beigetragen, in Hamburg »die neuen Methoden bürgerschaftlicher Mitverantwortung und Staatskontrolle ins Institutionelle« und dadurch zugleich einen »jüdischen Beitrag zum Staatswohl (...) einfach zur Selbstverständlichkeit« zu erheben.[10] Anton Rée, von 1859–71 Mitglied der Bürgerschaft, von 1881–84 Reichstagsabgeordneter, kämpfte für die Trennung von Staat und Kirche und gegen die Standes- und Konfessionsschule und setzte sich daher für die Einführung der Zivilehe und – früher als

10 Erich Lüth, Isaac Wolffson (1817–1895), ein hamburgischer Wegbereiter des Rechts und der deutschen Emanzipation. Hamburg 1963, S. 25.

andere – für eine allgemeine Volksschule ein. Seine bildungspolitische und schultheoretische Aktivität war eng mit seiner Berufstätigkeit als praktischer Pädagoge und Direktor der »Israelitischen Freischule« verknüpft, die er seit 1848 leitete. Der Großkaufmann Raphael Ernst May schließlich war der eigentliche Urheber des 1897 gegründeten »Konsum-, Bau- und Sparvereins PRODUKTION«, bei dessen Gründung auch Max Mendel mitwirkte, der später dem letzten Vorstand der jüdischen Gemeinde angehörte, 1942 nach Theresienstadt deportiert wurde und dort umkam. Leo Lippmann, seit 1906 im Hamburger Staatsdienst, reorganisierte und leitete als Staatsrat in der Finanzdeputation seit 1921 die Steuerverwaltung und hatte großen Einfluß auf die Hamburger Finanzpolitik der Weimarer Zeit.

Wissenschaftler jüdischer Herkunft, die in Hamburg wirkten, waren unter anderen der Kunst- und Kulturhistoriker Aby M. Warburg (dessen Bibliothek den Grundstock bildete für die große Kulturwissenschaftliche Bibliothek Warburg, die 1933/34 von Hamburg nach London verlegt wurde und heute der dortigen Universität angegliedert ist), ferner der Lokalhistoriker Adolf Wohlwill und sein Bruder, der Chemiker Emil Wohlwill (der für die Norddeutsche Affinerie ein elektrolytisches Verfahren zur Gewinnung von reinem Kupfer und Gold entwickelte). An der 1919 gegründeten Universität lehrten und forschten als Philosoph Ernst Cassirer, als Psychologe William Stern, als niederdeutsche Philologin die unter den Nazis umgekommene Agathe Lasch und als erster Lehrbeauftragter für Jiddisch in ganz Mittel- und Westeuropa Salomon Birnbaum.

Den jüdischen Anteil am Hamburger Wirtschaftsleben zwischen 1850 und 1933 zu bestimmen, ist unmöglich, da er dessen integrierender Bestandteil und unlöslich mit der Wirtschaftstätigkeit der nichtjüdischen Majorität verflochten war. Immerhin läßt sich anhand einiger Namen die wirtschaftliche Leistung von Juden in Hamburg gleichsam personifizieren: Die beiden ersten und eine Zeitlang auch die einzigen Warenhäuser in Hamburg waren das der Brüder Heilbuth in der Steinstraße und das von Tietz am Großen Burstah, das später an den Jungfernstieg verlegt wurde und sehr viel später, nach der sogenannten »Arisierung«, den Namen »Alsterhaus« erhielt. Die Norddeutsche Affinerie ist aus der Fusion mehrerer Firmen hervorgegangen, von denen eine die etwa 1773 von dem Juden Marcus Salomon Beit gegründete Edelmetall-Scheideanstalt, eine andere die »Gold- und Silber-Affinerie Heymann Abraham Jonas Söhne & Co.« war. Die HAPAG wurde unter Leitung Albert Ballins zur Schiffahrtsgesellschaft mit der größten Handelsflotte der Welt. Von den Hamburger Privatbanken war etwa die Hälfte in jüdischem Besitz. Hier sind vor allem Max M. Warburg und Carl Melchior zu nennen, weil sie, wie Albert Ballin, auch politisch tätig waren und dadurch weiteren Kreisen bekannt wurden. Albert Ballin war bekanntlich Freund und Ratgeber des Kaisers. Max M. Warburg und Carl Melchior haben als Mitglieder der Sachverständigenkommission dem Kabinett die Ablehnung des Versailler Friedensvertrages empfohlen, den Max Warburg als »Vernichtungsinstrument« bezeichnete. Trotzdem wurden sie von Antisemiten für den »Schmachfrieden« verantwortlich gemacht, und nach der Ermordung Rathenaus im Juni 1922 warnte der Hamburger Polizeipräsident Max M. Warburg, daß auch für ihn Lebensgefahr bestünde, und ließ ihn längere Zeit hindurch von einem zu seinem Schutz abgestellten Beamten bewachen. Der organisierte politische Antisemitismus hatte damals schon eine jahrzehntelange unrühmliche Geschichte hinter sich. Auch Hamburg war von ihm nicht verschont geblieben, nur seine erste Welle, die nach der großen Wirtschaftskrise von 1873 Deutschland überflutete, war an der Hansestadt vorübergegangen, weil diese wegen ihrer damals noch überwiegend vom Handel bestimmten Wirtschaftsstruktur von der Krise kaum betroffen war. Aber in den achtziger und neunziger Jahren formierte sich der Antisemitismus auch hier, eine der einflußreichsten und mitgliederstärksten antisemitischen Organisationen, der Deutschnationale Handlungsgehilfen-Verband, wurde in Hamburg gegründet und hatte hier sein Zentrum, an jüdischen Firmenschildern erschienen Zettel mit der Aufforderung »Juden raus!«, und in den Jahren 1897–1901 rückten nach und nach die ersten antisemitischen Abgeordneten in die Bürgerschaft ein. Senat und Polizei sahen die öffentliche Ruhe und Ordnung durch die Antisemiten gefährdet und untersagten lange Zeit hindurch ihre öffentlichen Versammlungen und Vorträge, so daß diese häufig nach Altona oder Wandsbek verlegt wurden und auch Adolf Stoecker gezwungen war, in Altona zu sprechen, da er in Hamburg nicht auftreten durfte. Eine eigentliche Massenbasis hatte der Antisemitismus aber damals nicht. Die Mehrheit der Bevölkerung wie auch die meisten Parteien, ein großer Teil der Presse und die meisten Juden nahmen ihn nicht allzu ernst und sahen keinen Anlaß, sich anhaltend mit ihm auseinanderzusetzen und ihn gezielt und ausdauernd zu bekämpfen, zumal er zu Beginn des 20. Jahrhunderts in

ganz Deutschland an Boden verlor und sein Ende voraussehbar schien. Latent blieb er freilich erhalten; und besonders verhängnisvoll wirkte es sich später aus, daß er über den Umweg eines völkisch-germanisch definierten Nationalismus in weite Kreise auch des gehobenen Bürgertums eindringen konnte, nicht zuletzt weil auch der Wandervogel sich dieser Art des Nationalismus öffnete. Symptomatisch dafür ist, daß sich Ende 1913 nicht weniger als 457 Führer von Wandervereinen gegen die Zulassung von Juden in den Ortsgruppen aussprachen. Vollends die bündischen Gruppen der Jugendbewegung nach dem ersten Weltkrieg waren durchweg exklusiv nationalistisch und infolgedessen antisemitisch eingestellt.
Die jüdische Jugend reagierte auf diese Entwicklung mit der Gründung eigener Jugendbünde. Für die Zionisten lag dies in der Konsequenz ihrer nationaljüdischen Einstellung. Schwerer fiel es den liberalen Juden, die sich nicht entschließen konnten, dem exklusiven völkisch-deutschen mit einem ebenso exklusiven völkisch-jüdischen Nationalismus zu begegnen, weil sie sich nicht weniger als Deutsche fühlten als ihre nichtjüdischen Gegner. Aber sie kamen, auch in Hamburg, an der Notwendigkeit nicht vorbei, sich in eigenen, deutsch-jüdischen Bünden zu organisieren.[11]

11 Diese jüdischen Jugendorganisationen haben nach dem Ersten Weltkrieg auch bei der Abwehr antijüdischer Ausschreitungen eine Rolle gespielt. So waren es, wie Arie Goral berichtet, jüdische Jugendliche, die nach der Besudelung des Heine-Denkmals am Barkhof eine Schutzwache organisierten, um eine Wiederholung dieses Vorfalls zu verhindern, vgl. Heines Rückkehr nach Hamburg 198?–? Kleines Brevier zu einer Heine-Ausstellung. (Hamburg 1980. Maschinenschr. vervielf., 37 nicht gez. Blätter), Bl. 5.

Die Reaktionen der Hamburger Juden auf den Antisemitismus waren wie bei den Juden im übrigen Deutschland recht unterschiedlich. Angesichts der Enttäuschung darüber, daß die Integration der Juden in Gesellschaft und Nation nicht geglückt war, näherten sich viele wieder mehr den jüdischen Traditionen. Aber zu Zionisten wurden doch nur relativ wenige.[12] Die Mehrzahl der Hamburger Juden tröstete sich angesichts des Antisemitismus mit der Hoffnung auf die Zukunft und stand dem Zionismus fremd und ablehnend gegenüber.[13] Die potentielle und schließlich die aktuelle Gefährlichkeit des Antisemitismus wurde von der Mehrheit der Juden in Deutschland ebenso verkannt wie von der Mehrheit der Nichtjuden, weil beide die ihn bedingenden sozialen und wirtschaftlichen Faktoren übersahen. In Hamburg kam hinzu,

12 Selbst der Hamburger Kaufmann Gustav Cohen, der lange vor Theodor Herzl in einer Schrift »Die Judenfrage und die Zukunft« ganz ähnliche Gedanken geäußert hatte wie Herzl in seinem 1898 erschienenen Buch »Der Judenstaat«, war nicht durch den deutschen Antisemitismus, sondern durch seine Arbeit im »Hilfskomitee für die russischen Juden«, das durchreisende Auswanderer betreute, zu der Überzeugung gekommen, daß die Juden ein eigenes Siedlungsgebiet brauchten. (Die Schrift von G. Cohen entstand 1881, wurde aber erst 1891 veröffentlicht.)

13 So lehnte, als 1901 der IX. Zionistenkongreß in Hamburg stattfand, der Gemeindevorstand es ab, die Delegierten zu begrüßen, und zwar, wie er es formulierte, »mit Rücksicht auf die vollständige Abweichung der Ansichten nach der politischen Seite hin« (Brief des Gemeindevorstands vom 24. November 1909, jetzt im Zionistischen Zentralarchiv Jerusalem, Z_2 103; zitiert bei Helga Krohn, Die Juden in Hamburg. Die politische, soziale und kulturelle Entwicklung einer jüdischen Großstadtgemeinde nach der Emanzipation (1848–1918). Hamburg 1974, S. 164 f.; danach hier); und das in Hamburg erscheinende, aber in ganz Deutschland verbreitete »Israelitische Familienblatt« gab erst nach 1933 zionistischen Anschauungen Raum.

daß die Juden seit der Emanzipationszeit im Senat die wohlwollende und gerechte Ordnungsmacht sahen, bei der das Wohl der Juden in guten Händen war. Schließlich gab es auch in der Weimarer Republik trotz des anwachsenden Antisemitismus gewisse Fortschritte in der Integration der Juden. All das trug dazu bei, daß, wie Helga Kohn schreibt, viele Juden »Hamburg als eine politische Insel« betrachteten, »auf der es sich sicher und unbekümmert leben ließ.«[14] So schrieb Alfonso Cassuto 1927 am Schluß seiner bereits erwähnten »Gedenkschrift anlässlich des 275jährigen Bestehens der portugiesisch-jüdischen Gemeinde in Hamburg«:

»Aus der neueren Zeit sind Ereignisse von allgemeinem Interesse nicht zu verzeichnen, und verläuft das Leben in der Gemeinde in friedlicher Weise und im besten Einvernehmen mit den Behörden, die den portugiesischen Juden, als den eigentlichen Begründern des Hamburger Handels mit Spanien, Portugal und deren Kolonien, ein dankbares Interesse bezeigen.«[15]

Und der orthodoxe Oberrabbiner der aschkenasischen Gemeinde, Samuel Spitzer, sagte in seiner Rede anläßlich des 25jährigen Jubiläums der Bornplatzsynagoge:

»Die alte Synagoge in der Elbstraße (stand) in einem Gehöft versteckt. Die Synagoge an den ›Kohlhöfen‹ wurde schon an einem sichtbaren Platz gebaut, aber immerhin noch vor fremden Blicken [durch eine Mauer] verborgen. Erst unsere Synagoge wurde offen und weit sichtbar an einem freien Platz errichtet. Alle drei Gotteshäuser symbolisieren (. . .) die Stellung der

14 Krohn (wie Anm. 13), S. 177.
15 Cassuto (wie Anm. 5), S. 22.

Juden im Staate. Wir leben in dem Zeitalter der Sicherheit und der unbedingten Gleichberechtigung, und in dieser Zuversicht wurde unsere Synagoge hier errichtet.«[16]

Das war 1931. Im gleichen Jahr war eine Hamburger Synagoge das Ziel antisemitischer Aggression, im Jahre darauf wurde der jüdische Friedhof an der Rentzelstraße geschändet, und abermals ein Jahr später war es mit der Übernahme der Staatsgewalt durch die Nationalsozialisten auch in Hamburg mit Sicherheit und friedlichem Leben für die Juden vorbei, denn nun begann jene Kette von antijüdischen Maßnahmen, welche die Emanzipation und die ohnehin unvollendet gebliebene Integration der Juden aufhoben und schließlich mit dem endeten, was die Nazis selbst »Endlösung der Judenfrage« nannten.

Auf diese Zeit und diese Ereignisse kann ich nicht mehr im einzelnen eingehen, weil meine Redezeit abgelaufen ist. Dem straffen Zentralismus des »Dritten Reiches« entsprechend fallen die Hamburger Besonderheiten in diesem Zeitraum ohnehin kaum ins Gewicht. Es gibt zwar Hinweise darauf, daß sich besonders in den ersten Jahren der Naziherrschaft manches in Hamburg gleichsam »zivilisierter« abgespielt hat als anderswo. Aber in den Grundzügen und im Endeffekt verlief die Geschichte der Juden in Hamburg in jenen Jahren nicht anders als überall im Reich: Verdrängung aus dem öffentlichen Leben, fortschreitende Entrechtung und Ghettoisierung und schließlich De-

16 Aus dem Gedächtnis wiedergegeben bei Ruben Malachi, Hamburger Synagogen. Tel Aviv 1967. (Maschinenschr.), S. 3; hier zitiert nach Krohn (wie Anm. 13), S. 63f. (Verdeutlichender Zusatz in eckigen Klammern von mir.)

portation, aus der nur wenige zurückkehrten, das waren die Stationen, über die eine jahrhundertealte, reiche und wechselvolle Geschichte ins Nichts führte.[17]

Heute gibt es wieder eine Synagoge und eine jüdische Gemeinde in Hamburg, und das Verhältnis der Stadt und der Bevölkerung zu ihr ist an der Oberfläche und nach außen hin in Ordnung. Ob man sagen kann, daß es sich »normalisiert« hat, wage ich nicht zu entscheiden. Was heißt überhaupt »normal« in diesem Zusammenhang? In Abwandlung einer Äußerung von Theodor Heuß könnte man vielleicht sagen, das Verhältnis zwischen Juden und Deutschen werde erst dann in Ordnung sein, wenn beide einander akzeptieren, nicht weil oder obwohl der andere Jude oder Deutscher, sondern weil er Mensch ist.[18] »Normal« in diesem Sinne ist das Verhältnis nichtjüdischer zu jüdischen Hamburgern wohl auch früher nur teilweise gewesen; und die Brutalität mancher gegen die Juden und mehr noch gegen andere Minderheiten gerichte-

17 Die Entwicklung in Zahlen: 1933 lebten in Hamburg etwa 17 000, in Altona etwa 2000, in Wandsbek und Harburg je etwa 200 Juden. Nachdem die Mehrzahl von ihnen sich dem ständig zunehmenden Druck der nationalsozialistischen Judenpolitik durch Auswanderung entzogen hatte, waren Ende 1940 noch knapp 8000 in Groß-Hamburg (also einschließlich der früher selbständigen Städte Altona, Harburg und Wandsbek) zurückgeblieben, von denen ca. 7000 den 1941 einsetzenden Deportationen zum Opfer fielen. Das gleiche Schicksal ereilte weitere ca. 1000 Hamburger Juden, die in später von deutschen Truppen eroberte europäische Länder ausgewandert oder geflohen waren. – Im Jahre 1979 lag die Mitgliederzahl der jüdischen Gemeinde in Hamburg bei rund 1300.

18 Vgl. Theodor Heuß, An und über Juden. Aus Schriften und Reden (1906–1963) zusammengestellt und herausgegeben von Hans Lamm. 2. Auflage. Düsseldorf, Wien (1964), S. 123 f.

ter Wandparolen unserer Tage zeigt, daß das Recht jeden Einwohners, hier zu sein und er selbst zu sein, in dieser Stadt nach wie vor nicht selbstverständlich ist. Genau hier, scheint mir, ist der Punkt, an dem die Geschichte in die Gegenwart einmündet, genau hier endet aber auch die Zuständigkeit des Historikers, genau hier beginnt die Aufgabe des geschichtsbewußten, kritischen Zeitgenossen.

Literaturhinweise

Den Grundstock der nachfolgenden Liste bildet die Literatur, auf welche die vorangegangene Darstellung sich zur Hauptsache stützt. Außerdem sind einige – zum Teil an entlegener Stelle veröffentlichte – Arbeiten angeführt, welche die bei der Kürze eines Vortrags unvermeidlichen Lücken wenigstens provisorisch zu füllen geeignet sind. Vollständigkeit wurde nicht angestrebt. Weitere Literatur ist in den hier aufgeführten Werken genannt oder mit Hilfe der »Bücherkunde zur hamburgischen Geschichte« (Band 1 ff., Hamburg 1939 ff.) zu ermitteln. Neuerscheinungen werden im Besprechungsteil (»Rezensionen und Hinweise«) der Zeitschrift des Vereins für Hamburgische Geschichte (ZHG) angezeigt oder besprochen.

Bamberger, Simon: Geschichte der Juden in Wandsbek. In: Israelitisches Familienblatt. Ausgabe C. 13. 1. 1938, S. 16c.

Beneke, Otto: Geschichtliche Notizen über Wandsbecks Vorzeit. In: ZHG 3 (1851), S. 357–394 (über Juden: S. 375 ff.).

Brilling, Bernhard: Der Streit um den Friedhof zu Ottensen. Ein Beitrag zur Frühgeschichte der deutsch-israelitischen Gemeinde in Hamburg. In: Jahrbuch für die Jüdischen Gemeinden Schleswig-Holsteins und der Hansestädte und der Landesgemeinde Oldenburg. Band 3 (1931/32), S. 45–68.

Brilling, Bernhard: Der Hamburger Rabbinerstreit im 18. Jahrhundert. In: ZHG 55 (1969), S. 219–244.

Cassuto, Alfonso: Gedenkschrift anlässlich des 275jährigen Bestehens der portugiesisch-jüdischen Gemeinde in Hamburg. Mit Aufzählung der portugiesisch-jüdischen Rabbiner in Hamburg und der in Hamburg, Altona und Glückstadt gedruckten Bücher portugiesischer Autoren. Amsterdam 1927.

Feilchenfeld, Alfred: Aus der älteren Geschichte der portugiesisch-israelitischen Gemeinde in Hamburg. Hamburg 1898.

Feilchenfeld, Alfred: Die älteste Geschichte der deutschen Juden in Hamburg. In: Monatsschrift für Geschichte und Wissenschaft des Judenthums 43 (1899), S. 271–282 und S. 370–381.

Feilchenfeld, Alfred (Hrsg.): Denkwürdigkeiten der Glückel von Hameln, aus dem Jüdisch-Deutschen übersetzt, mit Erläuterungen versehen und herausgegeben. 4. Auflage. Berlin 1923. (Nachdrucke dieser Ausgabe erschienen 1979 im Verlag Darmstädter Blätter, Darmstadt, und 1980 im Jüdischen Verlag, Königstein/Taunus, vgl. dazu ZHG 66,214 f.)

Freimark, Peter: Zum Verhältnis von Juden und Christen in Altona im 17./18. Jahrhundert. In: Theokratia. Jahrbuch des Institutum Judaicum Delitzschianum. Band 2 (1970–1972), S. 253-272.

Freimark, Peter: Juden auf dem Johanneum. In: 450 Jahre Gelehrtenschule des Johanneums zu Hamburg. (Hamburg) 1979, S. 123–129 und S. 224–226.

Freimark, Peter: Sprachverhalten und Assimilation. Die Situation der Juden in Norddeutschland in der 1. Hälfte des 19. Jahrhunderts. In: Saeculum 31 (1980), S. 240–261.

Freimark, Peter: Jüdische Friedhöfe im Hamburger Raum. In: ZHG 67 (1981), S. 117–132.

Glückel von Hameln: Denkwürdigkeiten
siehe oben unter Feilchenfeld, Alfred

Graupe, Heinz Mosche (Hrsg.): Die Statuten der drei Gemeinden Altona, Hamburg und Wandsbek. Quellen zur jüdischen Gemeindeorganisation im 17. und 18. Jahrhundert. Herausgegeben, eingeleitet, übersetzt und mit Anmerkungen versehen. Teil I: Einleitung und Übersetzungen. Teil II: Texte. Hamburg 1973. (Hamburger Beiträge zur Geschichte der deutschen Juden, Band 3,1 und 3,2)

Grunwald, Max: Portugiesengräber auf deutscher Erde. Beiträge zur Kultur- und Kunstgeschichte. Hamburg 1902.

Grunwald, Max: Hamburgs deutsche Juden bis zur Auflösung der Dreigemeinden 1811. Hamburg 1904.

Haarbleicher, Moses Michael: Aus der Geschichte der Deutsch-Israelitischen Gemeinde in Hamburg. Zweite Ausgabe. Herausgegeben und mit einem Vorworte versehen von H. Berger. Hamburg 1886.

Jüdische Opfer des Nationalsozialismus in Hamburg:
Die jüdischen Opfer des Nationalsozialismus in Hamburg. (Als Manuskript gedruckt vom Staatsarchiv der Freien und Hansestadt Hamburg. Hamburg 1965.)

Kley, Eduard: Geschichtliche Darstellung der Israelitischen Freischule zu Hamburg; bei Gelegenheit der Feier ihres fünf- und zwanzigjährigen Bestehens (am 31. October 1841) mitgetheilt. Hamburg 1841.

Kopitzsch, Franklin: Die jüdischen Schüler des Christianeums im Zeitalter der Aufklärung – ein Kapitel aus der Geschichte der Juden in Altona. In: Christianeum. Mitteilungsblatt des Vereins der Freunde des Christianeums. 33. Jahrgang, Heft 2. Hamburg, Dezember 1978, S. 19–28.

Krohn, Helga: Die Juden in Hamburg 1800–1850. Ihre soziale, kulturelle und politische Entwicklung während der Emanzipationszeit. (Frankfurt 1967.) (Hamburger Studien zur neueren Geschichte, Band 9)

Krohn, Helga: Die Juden in Hamburg. Die politische, soziale und kulturelle Entwicklung einer jüdischen Großstadtgemeinde

nach der Emanzipation (1848–1918). Hamburg 1974. (Hamburger Beiträge zur Geschichte der deutschen Juden, Band 4)
Lippmann, Leo: Mein Leben und meine amtliche Tätigkeit. Erinnerungen und ein Beitrag zur Finanzgeschichte Hamburgs. Aus dem Nachlaß herausgegeben von Werner Jochmann. (Hamburg 1964) (Veröffentlichungen des Vereins für Hamburgische Geschichte, Band 19)
Lüth, Erich: Isaac Wolffson (1817–1895), ein hamburgischer Wegbereiter des Rechts und der deutschen Emanzipation. Hamburg 1963.
Lüth, Erich: Salomon Heine in seiner Zeit. In: Salomon Heine in seiner Zeit. Gedenkreden zu seinem 200. Geburtstag von Gerhard F. Kramer und Erich Lüth. Hamburg 1968. (Vorträge und Aufsätze, herausgegeben vom Verein für Hamburgische Geschichte, Heft 16), S. 6–22.
Marwedel, Günter (Hrsg.): Die Privilegien der Juden in Altona. Hamburg 1976. (Hamburger Beiträge zur Geschichte der deutschen Juden, Band 5)
Marwedel, Günter: Zu jiddischen Briefen aus der Zeit und Umwelt Glückels von Hameln. In: Trierer Beiträge. Sonderheft 2: Fragen des älteren Jiddisch. Trier 1977, S. 46–56.
Nachrichten von der Geschichte und Verfassung des adelichen Guts Wandsbeck in Holstein, aus Urkunden und anderen zuverläßigen Quellen genommen. Hamburg 1773.
Sammlung Historischer Nachrichten von dem hochadelichen Gute Wandsbeck. o. O. 1766.
Wolfsberg-Aviad, Oskar, u. a.: Die Drei-Gemeinde. Aus der Geschichte der jüdischen Gemeinden Altona-Hamburg-Wandsbek. München 1960.
Zimmermann, Mosche: Hamburgischer Patriotismus und deutscher Nationalismus. Die Emanzipation der Juden in Hamburg 1830–1865. Hamburg 1979. (Hamburger Beiträge zur Geschichte der deutschen Juden, Band 6)

Bild auf dem Einband (Vorlage im Staatsarchiv Hamburg):
Gemeindesynagoge Kohlhöfen um 1860

Gestaltung und Herstellung:
Hans Christians Druckerei, Hamburg